Xi

La biografía del director general del nuevo Estado chino, sus estrategias inteligentes para la era de la gobernanza de la China moderna y la tercera revolución

Por la Biblioteca Unida

https://campsite.bio/unitedlibrary

Introducción

¿Quieres conocer al hombre más poderoso de China?

Xi Jinping es uno de los líderes más fascinantes e importantes del mundo actual. Ha sido una de las fuerzas motrices del reciente resurgimiento de China y está llevando al país a una nueva era de gobierno. Este libro lo cuenta todo sobre su vida, sus estrategias y lo que piensa hacer por China en el futuro. Las estrategias de Xi Jinping han convertido a China en lo que es hoy: un país poderoso con un futuro brillante. Este libro cuenta su historia, desde sus primeros años hasta su etapa como presidente del Nuevo Estado Chino.

Desde que se convirtió en líder de China en 2012, Xi Jinping se ha embarcado en un ambicioso programa para modernizar el país y consolidar su propio poder. Ha iniciado una amplia campaña contra la corrupción, ha relajado los controles sobre los medios de comunicación y ha aumentado la inversión en infraestructuras y educación. Sus esfuerzos han contribuido a estimular el crecimiento económico y a convertir a China en un actor más visible en la escena mundial. Sin embargo, los críticos le han acusado de consolidar el poder hasta un grado sin precedentes y afirman que sus reformas no han ido lo suficientemente lejos para abordar las desigualdades sociales. No obstante, no cabe duda de que Xi Jinping es uno de los líderes más influyentes de la China actual.

Si le interesa la política china o simplemente quiere saber más sobre una de las personas más poderosas del planeta, este libro es para usted. Ofrece una visión en profundidad de la vida de Xi Jinping y de cómo planea dar forma a la China moderna. Aprenda todo lo que hay que saber sobre este enigmático líder y comprenda sus estrategias y lo que significan para el futuro de China.

Índice de contenidos

Introducción 2

Índice de contenidos 3

Xi Jinping 4

Vida temprana y educación 8

Subida al poder 10

Miembro del Comité Permanente del Politburó 12

Viajes como Vicepresidente 14

Liderazgo 15

Campaña contra la corrupción 18

Censura 21

Consolidación del poder 23

Economía y tecnología 27

Reformas 31

Pandemia de COVID-19 47

Política medioambiental 49

Estilo de gobernanza 50

Posiciones políticas 52

Vida personal 61

Xi Jinping

Xi Jinping es un político chino que ejerce como secretario general del Partido Comunista Chino (PCC) y presidente de la Comisión Militar Central (CMC) desde 2012, y presidente de la República Popular China (RPC) desde 2013. Xi es el líder supremo de China desde 2012.

Hijo del veterano comunista chino Xi Zhongxun, Xi se exilió al condado rural de Yanchuan cuando era adolescente tras la purga de su padre durante la Revolución Cultural. Vivió en un yaodong del pueblo de Liangjiahe, donde se afilió al PCC tras varios intentos fallidos y trabajó como secretario del partido local. Tras estudiar ingeniería química en la Universidad de Tsinghua como estudiante obrero-campesino-soldado, Xi ascendió políticamente en las provincias costeras de China. Xi fue gobernador de Fujian de 1999 a 2002, antes de convertirse en gobernador y secretario del partido de la vecina Zhejiang de 2002 a 2007. Tras la destitución del secretario del partido de Shanghai, Chen Liangyu, Xi fue trasladado para sustituirlo durante un breve periodo en 2007. Posteriormente se incorporó al Comité Permanente del Politburó (CPS) del PCC ese mismo año y ocupó el cargo de primer secretario del Secretariado Central en octubre de 2007. En 2008, fue designado como presunto sucesor de Hu Jintao como líder supremo; para ello, Xi fue nombrado vicepresidente de la RPC y vicepresidente de la CMC. Recibió oficialmente el título de núcleo de liderazgo del PCCh en 2016.

Xi es el primer secretario general del PCCh nacido después de la creación de la RPC. Desde que asumió el poder, Xi ha introducido medidas de gran alcance para imponer la disciplina del partido y la unidad interna. Su campaña anticorrupción ha provocado la caída de destacados funcionarios del PCCh en activo y retirados, entre ellos un antiguo miembro del CPS. También ha promulgado o promovido una política exterior más agresiva, sobre todo en lo que respecta a las relaciones de China con Estados Unidos, la línea de las nueve rayas en el Mar de China Meridional, el conflicto fronterizo entre China e India y el estatus político de Taiwán. Ha tratado de ampliar la influencia de China en África y Eurasia a través de la Iniciativa del Cinturón y la Ruta. Xi ha ampliado el apoyo a las empresas estatales, ha impulsado la fusión militar-civil, ha supervisado programas específicos de alivio de la pobreza y ha intentado reformar el sector inmobiliario. También ha promovido la "prosperidad común", una serie de políticas diseñadas con el objetivo declarado de aumentar la igualdad, y ha utilizado el término para justificar una amplia represión y una gran cantidad de regulaciones contra los sectores de la tecnología y la tutoría en 2021. Se reunió con el presidente taiwanés Ma Ying-jeou en 2015, la primera vez que los líderes de la RPC y la República de China se encontraron, aunque las relaciones se deterioraron después de que el Partido Democrático Progresista (PDP) ganara las elecciones presidenciales en 2016. Ha respondido a la pandemia de COVID-19 en la China continental con un enfoque de cero COVID y ha supervisado la aprobación de una ley de seguridad nacional en Hong Kong, aumentando drásticamente la represión de la oposición en la ciudad.

A menudo descrito como un líder autoritario por los observadores políticos y académicos, el mandato de Xi ha visto un aumento de la censura y la vigilancia masiva, un deterioro de los derechos humanos, incluyendo el internamiento de un millón de uigures en Xinjiang, un culto a la personalidad que se desarrolla en torno a él, y la eliminación de los límites del mandato para la presidencia en 2018. El pensamiento político de Xi se ha incorporado a la constitución del partido y a la nacional, y ha hecho hincapié en la importancia de la seguridad nacional y en la necesidad de que el PCCh lidere el país. Como figura central de la quinta generación de liderazgo de la RPC, Xi ha centralizado significativamente el poder institucional asumiendo una amplia gama de puestos de liderazgo, incluyendo la presidencia de la Comisión de Seguridad Nacional, así como nuevos comités de dirección sobre reformas económicas y sociales, reestructuración y modernización militar e Internet. Además, él y el Comité Central del PCCh aprobaron una "resolución histórica" en noviembre de 2021, la tercera de este tipo después de Mao Zedong y Deng Xiaoping, consolidando aún más su poder.

Vida temprana y educación

Xi Jinping nació en Pekín el 15 de junio de 1953, segundo hijo de Xi Zhongxun y su esposa Qi Xin. Tras la fundación de la RPC en 1949, el padre de Xi ocupó una serie de cargos, entre ellos el de jefe de propaganda del Partido, viceprimer ministro y vicepresidente de la Asamblea Popular Nacional. Xi tenía dos hermanas mayores, Qiaoqiao, nacida en 1949, y An'an (安安; Ān'ān), nacida en 1952. El padre de Xi era del condado de Fuping, en Shaanxi, y Xi podía rastrear su ascendencia patrilineal desde Xiying, en Dengzhou, Henan.

Xi asistió a la Escuela nº 25 de Pekín, y luego a la Escuela Bayi de Pekín, en la década de 1960. Se hizo amigo de Liu He, que asistía a la escuela Beijing nº 101 del mismo distrito, quien más tarde se convirtió en viceprimer ministro de China y en un estrecho asesor de Xi después de que éste se convirtiera en el líder supremo de China. En 1963, cuando tenía 10 años, su padre fue purgado del PCCh y enviado a trabajar a una fábrica en Luoyang, Henan. En mayo de 1966, la Revolución Cultural interrumpió la educación secundaria de Xi cuando se interrumpieron todas las clases de secundaria para que los alumnos criticaran y se enfrentaran a sus profesores. Los militantes estudiantiles saquearon la casa de la familia Xi y una de sus hermanas, Xi Heping, se suicidó por la presión.

Más tarde, su madre se vio obligada a denunciar públicamente a su padre, que fue paseado ante una multitud como enemigo de la revolución. Su padre fue posteriormente encarcelado en 1968, cuando Xi tenía 15 años. Sin la protección de su padre, Xi fue enviado a trabajar a la aldea de Liangjiahe, Wen'anyi, en el condado de Yanchuan, Yan'an, Shaanxi, en 1969, en el Movimiento de Bajada al Campo de Mao Zedong. Trabajaba como secretario del partido en Liangjiahe, donde vivía en una casa cueva. Según la gente que le conocía, esta experiencia le llevó a sentir afinidad con los pobres del campo. Al cabo de unos meses, incapaz de soportar la vida rural, huyó a Pekín. Fue detenido durante una campaña contra los desertores del campo y enviado a un campo de trabajo para cavar zanjas, pero después regresó al pueblo, donde pasó un total de siete años.

Las desgracias y el sufrimiento de su familia en sus primeros años endurecieron la visión de Xi sobre la política. Durante una entrevista en el año 2000, dijo: "La gente que tiene poco contacto con el poder, que está lejos de él, siempre ve estas cosas como algo misterioso y novedoso. Pero lo que yo veo no es sólo lo superficial: el poder, las flores, la gloria, los aplausos. Veo los ruedos y cómo la gente puede soplar en caliente y en frío. Entiendo la política a un nivel más profundo". Lo de los toriles es una referencia a las casas de detención de los Guardias Rojos durante la Revolución Cultural.

Tras ser rechazado en siete ocasiones, Xi se unió a la Liga de la Juventud Comunista de China en 1971 haciéndose amigo de un funcionario local. Se reunió con su padre en 1972, debido a una reunión familiar ordenada por el primer ministro Zhou Enlai. A partir de 1973, solicitó diez veces su ingreso en el PCCh y finalmente fue aceptado en su décimo intento en 1974. De 1975 a 1979, Xi estudió ingeniería química en la Universidad de Tsinghua como estudiante obrero-campesino-soldado en Pekín. Los estudiantes de ingeniería pasaban el 15% de su tiempo estudiando el marxismo-leninismo-pensamiento de Mao Zedong y el 5% haciendo trabajos agrícolas y "aprendiendo del Ejército Popular de Liberación".

Subida al poder

De 1979 a 1982, Xi fue secretario del antiguo subordinado de su padre, Geng Biao, entonces viceprimer ministro y secretario general de la CMC. En 1982, fue enviado al condado de Zhengding, en Hebei, como vicesecretario del partido del condado de Zhengding. En 1983 fue ascendido a secretario, convirtiéndose en el máximo responsable del condado. Posteriormente, Xi sirvió en cuatro provincias durante su carrera política regional: Hebei (1982-1985), Fujian (1985-2002), Zhejiang (2002-2007) y Shanghai (2007). Xi ocupó cargos en el Comité Municipal del Partido de Fuzhou y se convirtió en presidente de la Escuela del Partido de Fuzhou en 1990. En 1997, fue nombrado miembro suplente del 15° Comité Central del PCC. Sin embargo, de los 151 miembros suplentes del Comité Central elegidos en el 15° Congreso del Partido, Xi recibió el menor número de votos a favor, lo que le situó en el último lugar de la clasificación de miembros, supuestamente debido a su condición de príncipe.

De 1998 a 2002, Xi estudió teoría marxista y educación ideológica en la Universidad de Tsinghua, y se doctoró en derecho e ideología en 2002. En 1999, fue promovido al cargo de vicegobernador de Fujian, y se convirtió en gobernador un año después. En Fujian, Xi se esforzó por atraer inversiones de Taiwán y fortalecer el sector privado de la economía provincial. En febrero de 2000, él y el entonces secretario provincial del partido, Chen Mingyi, fueron convocados ante los principales miembros del CPS -el secretario general Jiang Zemin, el primer ministro Zhu Rongji, el vicepresidente Hu Jintao y el secretario de Inspección Disciplinaria Wei Jianxing- para explicar aspectos del escándalo Yuanhua.

En 2002, Xi abandonó Fujian y asumió cargos políticos de responsabilidad en la vecina Zhejiang. Tras varios meses como gobernador en funciones, asumió el cargo de secretario provincial del Comité del Partido, ocupando un alto cargo provincial por primera vez en su carrera. En 2002, fue elegido miembro de pleno derecho del XVI Comité Central, lo que supuso su ascenso a la escena nacional. Mientras estuvo en Zhejiang, Xi presidió unas tasas de crecimiento del 14% anual de media. Su carrera en Zhejiang estuvo marcada por una postura dura y directa contra los funcionarios corruptos. Esto le hizo ganarse un nombre en los medios de comunicación nacionales y atrajo la atención de los principales líderes de China.

Tras la destitución del secretario del Partido de Shanghái, Chen Liangyu, en septiembre de 2006, por un escándalo de la caja de la seguridad social, Xi fue trasladado a Shanghái en marzo de 2007, donde fue secretario del Partido durante siete meses. En Shanghái, Xi evitó las polémicas y fue conocido por observar estrictamente la disciplina del partido. Por ejemplo, los administradores de Shanghái intentaron ganarse su favor organizando un tren especial para trasladarlo entre Shanghái y Hangzhou para que terminara de ceder su trabajo a su sucesor como secretario del partido en Zhejiang, Zhao Hongzhu. Sin embargo, Xi se negó a tomar el tren, alegando un reglamento del partido de escasa aplicación que estipula que los trenes especiales sólo pueden reservarse para los "líderes nacionales". Durante su estancia en Shanghái, trabajó para preservar la unidad de la organización local del partido. Prometió que no habría "purgas" durante su gobierno, a pesar de que se creía que muchos funcionarios locales estaban implicados en el escándalo de corrupción de Chen Liangyu. En la mayoría de las cuestiones, Xi se hizo eco de la línea de la dirección central.

Miembro del Comité Permanente del Politburó

Xi fue nombrado miembro del CPS, compuesto por nueve hombres, en el 17º Congreso del Partido, en octubre de 2007. Se le situó por encima de Li Keqiang, lo que indicaba que iba a suceder a Hu Jintao como próximo líder de China. Además, Xi también ocupó la primera secretaría del Secretariado Central del PCCh. Esta apreciación se vio reforzada en la XI Asamblea Popular Nacional de marzo de 2008, cuando Xi fue elegido vicepresidente de la RPC. Tras su ascenso, Xi ha ocupado una amplia gama de carteras. Se le encargó la preparación integral de los Juegos Olímpicos de Verano de 2008 en Pekín, además de ser la figura principal del gobierno central en los asuntos de Hong Kong y Macao. Además, se convirtió en el nuevo presidente de la Escuela Central del Partido del PCCh, su ala de formación de cuadros y educación ideológica. Tras el terremoto de Sichuan de 2008, Xi visitó las zonas siniestradas de Shaanxi y Gansu. Realizó su primer viaje al extranjero como vicepresidente a Corea del Norte, Mongolia, Arabia Saudí, Qatar y Yemen del 17 al 25 de junio de 2008. Después de las Olimpiadas, a Xi se le asignó el cargo de presidente del comité para los preparativos de las celebraciones del 60 aniversario de la fundación de la RPC. También se dice que estuvo al frente de un comité de alto nivel del PCCh denominado Proyecto 6521, encargado de garantizar la estabilidad social durante una serie de aniversarios políticamente delicados en 2009.

La posición de Xi como aparente sucesor para convertirse en el líder supremo se vio amenazada por el rápido ascenso de Bo Xilai, el secretario del partido de Chongqing en ese momento. Se esperaba que Bo se uniera al CPS en el XVIII Congreso del Partido, y la mayoría esperaba que intentara maniobrar para sustituir a

Xi. Las políticas de Bo en Chongqing inspiraron imitaciones en toda China y recibieron elogios del propio Xi durante su visita a Chongqing en 2010. Los registros de los elogios de Xi se borraron posteriormente después de que se convirtiera en líder supremo. La caída de Bo llegaría con el incidente de Wang Lijun, que abrió la puerta a Xi para llegar al poder sin contrincantes.

Xi está considerado uno de los miembros más exitosos de los Principes, una cuasi-clica de políticos descendientes de los primeros revolucionarios comunistas chinos. El ex primer ministro de Singapur, Lee Kuan Yew, al ser preguntado por Xi, dijo que le parecía "un hombre reflexivo que ha pasado por muchas pruebas y tribulaciones". Lee también comentó: "Lo pondría en la clase de personas de Nelson Mandela. Una persona con una enorme estabilidad emocional que no permite que sus desgracias o sufrimientos personales afecten a su juicio. En otras palabras, es impresionante". El ex secretario del Tesoro de Estados Unidos, Henry Paulson, describió a Xi como "el tipo de persona que sabe cómo hacer que las cosas superen la línea de meta". El primer ministro australiano, Kevin Rudd, dijo que Xi "tiene suficiente bagaje reformista, partidista y militar para ser un hombre muy suyo".

Viajes como Vicepresidente

En febrero de 2009, en su calidad de vicepresidente, Xi Jinping se embarcó en una gira por América Latina, visitando México, Jamaica, Colombia, Venezuela, Brasil y Malta, tras lo cual regresó a China. El 11 de febrero de 2009, durante su visita a México, Xi habló ante un grupo de chinos de ultramar y explicó las contribuciones de China durante la crisis financiera internacional, diciendo que era "la mayor contribución a toda la humanidad, hecha por China, para evitar que sus 1.300 millones de personas pasen hambre". Continuó comentando: "Hay algunos extranjeros aburridos, con el estómago lleno, que no tienen nada mejor que hacer que señalarnos con el dedo. En primer lugar, China no exporta la revolución; en segundo lugar, China no exporta el hambre y la pobreza; en tercer lugar, China no viene a causarles dolores de cabeza. ¿Qué más hay que decir?". La historia fue difundida por algunas televisiones locales. La noticia provocó una avalancha de discusiones en los foros chinos de Internet y se informó de que el Ministerio de Asuntos Exteriores chino se vio sorprendido por las declaraciones de Xi, ya que el vídeo real fue grabado por unos reporteros que acompañaban a Hong Kong y emitido por la televisión de ese país, que luego apareció en varios sitios web de vídeos de Internet.

En la Unión Europea, Xi visitó Bélgica, Alemania, Bulgaria, Hungría y Rumanía del 7 al 21 de octubre de 2009. En su viaje por Asia, del 14 al 22 de diciembre de 2009, visitó Japón, Corea del Sur, Camboya y Myanmar. Posteriormente visitó Estados Unidos, Irlanda y Turquía en febrero de 2012. Esta visita incluyó un encuentro con el entonces presidente de Estados Unidos, Barack Obama, en la Casa Blanca, y con el entonces vicepresidente, Joe Biden; y paradas en California e Iowa, donde se reunió con la familia que le acogió previamente durante su gira de 1985 como funcionario de la provincia de Hebei.

Liderazgo

Unos meses antes de su ascenso a la dirección del partido, Xi desapareció de la cobertura de los medios de comunicación oficiales y canceló las reuniones con funcionarios extranjeros durante varias semanas a partir del 1 de septiembre de 2012, lo que provocó rumores. Luego reapareció el 15 de septiembre. El 15 de noviembre de 2012, Xi fue elegido para los cargos de secretario general del PCC y presidente de la CMC por el XVIII Comité Central del PCC. Esto le convertía, informalmente, en el líder supremo y el primero nacido tras la fundación de la RPC. Al día siguiente, Xi dirigió la nueva formación del CPS en su primera aparición pública. El CPS se redujo de nueve a siete, y sólo Xi y Li Keqiang conservaron sus puestos; los otros cinco miembros eran nuevos. En un marcado alejamiento de la práctica habitual de los líderes chinos, el primer discurso de Xi como secretario general se redactó con sencillez y no incluyó ningún eslogan político ni mencionó a sus predecesores. Xi mencionó las aspiraciones del ciudadano medio, señalando: "Nuestro pueblo... espera una mejor educación, empleos más estables, mejores ingresos, una seguridad social más fiable, una atención médica de mayor nivel, unas condiciones de vida más cómodas y un entorno más bello". Xi también se comprometió a atajar la corrupción al más alto nivel, aludiendo a que amenazaría la supervivencia del PCC; se mostró reticente a las reformas económicas de gran calado.

En diciembre de 2012, Xi visitó Guangdong en su primer viaje fuera de Pekín desde que asumió la dirección del Partido. El tema principal del viaje fue hacer un llamamiento a una mayor reforma económica y a un fortalecimiento del ejército. Xi visitó la estatua de Deng Xiaoping y su viaje se describió como una continuación del viaje al sur del propio Deng en 1992, que proporcionó el impulso para nuevas reformas económicas en China después de que los líderes conservadores del partido paralizaran muchas de las reformas de Deng tras las protestas y la masacre de la plaza de Tiananmen en 1989. En su viaje, Xi aludió constantemente a su lema característico, el "sueño chino". "Este sueño puede decirse que es el sueño de una nación fuerte. Y para los militares, es el sueño de un ejército fuerte", dijo Xi a los marineros. El viaje de Xi fue significativo porque se apartó de la convención establecida de las rutinas de viaje de los líderes chinos de múltiples maneras. En lugar de cenar fuera, Xi y su séquito comieron el buffet habitual del hotel. Viajó en una gran furgoneta con sus colegas en lugar de una flota de limusinas, y no restringió el tráfico en las partes de la autopista que recorrió.

Xi fue elegido presidente el 14 de marzo de 2013, en una votación de confirmación de la XII Asamblea Popular Nacional en Pekín. Recibió 2.952 votos a favor, uno en contra y tres abstenciones. Sustituyó a Hu Jintao, que se retiró tras cumplir dos mandatos. En su nueva condición de presidente, el 16 de marzo de 2013 Xi expresó su apoyo a la no injerencia en las relaciones entre China y Sri Lanka, en medio de una votación del Consejo de Seguridad de las Naciones Unidas para condenar a ese país por los abusos cometidos por el gobierno durante la Guerra Civil de Sri Lanka. El 17 de marzo, Xi y sus nuevos ministros organizaron una reunión con el jefe del ejecutivo de Hong Kong, CY Leung, confirmando su apoyo a Leung. A las pocas horas de su elección, Xi habló por teléfono con el presidente de Estados Unidos, Barack Obama, sobre ciberseguridad y Corea del Norte. Obama anunció la visita de los secretarios del Tesoro y de Estado, Jacob Lew y John F. Kerry, a China la semana siguiente.

Campaña contra la corrupción

Xi prometió luchar contra la corrupción casi inmediatamente después de ascender al poder en el 18º Congreso del Partido. En su discurso inaugural como secretario general, Xi mencionó que la lucha contra la corrupción era uno de los retos más difíciles para el partido. A los pocos meses de su mandato, Xi esbozó el Reglamento de Ocho Puntos, que enumera las normas destinadas a frenar la corrupción y el despilfarro en los asuntos oficiales del partido; su objetivo es aplicar una disciplina más estricta a la conducta de los funcionarios del partido. Xi también prometió erradicar a los "tigres y las moscas", es decir, a los funcionarios de alto rango y a los funcionarios ordinarios del partido.

Xi inició casos contra los ex vicepresidentes de la CMC Xu Caihou y Guo Boxiong, el ex miembro del PSC y jefe de seguridad Zhou Yongkang y el ex ayudante principal de Hu Jintao Ling Jihua. Junto con el nuevo jefe de disciplina, Wang Qishan, la administración de Xi encabezó la formación de "equipos de inspección enviados centralmente" (中央巡视组). Se trataba esencialmente de escuadrones interjurisdiccionales de funcionarios cuya tarea principal era conocer más a fondo el funcionamiento de las organizaciones provinciales y locales del partido y, de paso, hacer cumplir también la disciplina del partido ordenada por Pekín. Muchos de los equipos de trabajo también tuvieron el efecto de identificar e iniciar investigaciones de funcionarios de alto rango. Más de cien funcionarios de nivel ministerial provincial fueron implicados durante una campaña masiva de lucha contra la corrupción en todo el país. Entre ellos se encontraban antiguos y actuales funcionarios regionales (Su Rong, Bai Enpei, Wan Qingliang), personalidades de empresas estatales y órganos del gobierno central (Song Lin, Liu Tienan) y generales de alto rango en el ejército (Gu

Junshan). En junio de 2014, el establishment político de la provincia de Shanxi fue diezmado, con la destitución en una semana de cuatro funcionarios de la cúpula de la organización provincial del partido. Solo en los dos primeros años de la campaña, más de 200.000 funcionarios de bajo rango recibieron advertencias, multas y degradaciones.

La campaña ha provocado la caída de destacados funcionarios del PCCh, tanto en activo como retirados, incluidos miembros del CPS. La campaña anticorrupción de Xi es vista por los críticos, como *The Economist*, como una política con el objetivo de eliminar a potenciales oponentes y consolidar el poder. La creación por parte de Xi de una nueva agencia anticorrupción, la Comisión Nacional de Supervisión, con un rango superior al del Tribunal Supremo, ha sido descrita por el director de Amnistía Internacional para Asia Oriental como una "amenaza sistémica para los derechos humanos" que "pone a decenas de millones de personas a merced de un sistema secreto y prácticamente irresponsable que está por encima de la ley".

Xi ha supervisado importantes reformas de la Comisión Central de Inspección Disciplinaria (CCDI), la máxima institución de control interno del PCCh. Él y el secretario de la CCDI, Wang Qishan, institucionalizaron aún más la independencia de la CCDI de las operaciones cotidianas del PCC, mejorando su capacidad de funcionar como un organismo de control de *buena fe*. Según The *Wall Street Journal*, cualquier castigo anticorrupción a funcionarios de nivel viceministerial o superior necesita la aprobación de Xi. Otro artículo de The Wall *Street Journal decía que,* cuando quiere neutralizar a un rival político, pide a los inspectores que preparen cientos de páginas de pruebas. El artículo también decía que a veces autoriza la investigación de colaboradores cercanos de un político de alto rango para sustituirlos por sus propios protegidos y coloca a los rivales políticos en puestos menos importantes para separarlos de sus bases políticas. Al parecer, estas tácticas se han utilizado incluso contra Wang Qishan, amigo íntimo de Xi.

Censura

Desde que Xi se convirtió en secretario general del PCCh, la censura, incluida la de Internet, se ha intensificado considerablemente. Al presidir la Conferencia de Gobernanza del Ciberespacio de China de 2018, celebrada los días 20 y 21 de abril de 2018, Xi se comprometió a "reprimir ferozmente los delitos penales, como la piratería informática, el fraude en las telecomunicaciones y la violación de la privacidad de los ciudadanos." Durante una visita a los medios de comunicación estatales chinos, Xi declaró que "los medios de comunicación propiedad del partido deben llevar el apellido del partido" (党和政府主办的媒体必须姓党) y que los medios estatales "deben encarnar la voluntad del partido, salvaguardar la autoridad del partido".

Su administración ha supervisado la imposición de más restricciones a Internet en China, y se describe como "más estricta en todos los ámbitos" sobre la expresión que las administraciones anteriores. Xi ha adoptado una postura muy firme para controlar el uso de Internet dentro de China, incluidos Google y Facebook, abogando por la censura de Internet en el país bajo el concepto de soberanía de Internet. La censura de Wikipedia también ha sido estricta; desde abril de 2019, todas las versiones de Wikipedia han sido bloqueadas en China. Del mismo modo, se ha descrito la situación de los usuarios de Weibo, que han pasado de temer que se eliminen las publicaciones individuales o, en el peor de los casos, la propia cuenta, a temer ser arrestados.

Una ley promulgada en septiembre de 2013 autorizó una pena de tres años de prisión para los blogueros que compartieran más de 500 veces cualquier contenido considerado "difamatorio". El Departamento Estatal de Información de Internet convocó a un grupo de influyentes blogueros a un seminario en el que se les instruyó para que evitaran escribir sobre política, el PCC o hacer declaraciones que contradijeran la narrativa oficial. Muchos blogueros dejaron de escribir sobre temas controvertidos, y Weibo entró en declive, y gran parte de sus lectores pasaron a ser usuarios de WeChat que hablaban con círculos sociales muy limitados. En 2017, el gobierno ordenó a los operadores de telecomunicaciones de China que bloquearan el uso de redes privadas virtuales (VPN) para febrero de 2018.

Xi se ha pronunciado contra el "nihilismo histórico", es decir, contra los puntos de vista históricos que desafían la línea oficial del PCCh. Xi dijo que una de las razones del colapso de la Unión Soviética ha sido el nihilismo histórico. La Administración del Ciberespacio de China (CAC) ha establecido una línea telefónica para que la gente denuncie actos de nihilismo histórico, mientras que Toutiao y Douyin instaron a sus usuarios a denunciar casos de nihilismo histórico. En mayo de 2021, la CAC informó de que había eliminado dos millones de mensajes en línea por nihilismo histórico.

Consolidación del poder

Los observadores políticos han calificado a Xi como el líder chino más poderoso desde Mao Zedong, especialmente desde que se puso fin a los límites de dos mandatos presidenciales en 2018. Xi se ha alejado notablemente de las prácticas de liderazgo colectivo de sus predecesores posteriores a Mao. Ha centralizado su poder y ha creado grupos de trabajo con él mismo a la cabeza para subvertir la burocracia gubernamental, convirtiéndose en la inequívoca figura central de la nueva administración. A partir de 2013, el PCCh bajo Xi ha creado una serie de Grupos Directivos Centrales: comités de dirección supra-ministeriales, diseñados para pasar por alto las instituciones existentes a la hora de tomar decisiones, y aparentemente hacer de la elaboración de políticas un proceso más eficiente. El nuevo organismo más notable es el Grupo Directivo Central para la Profundización de las Reformas. Tiene una amplia jurisdicción sobre la reestructuración económica y las reformas sociales, y se dice que ha desplazado parte del poder que antes tenían el Consejo de Estado y su primer ministro.

Xi también se convirtió en el líder del Grupo Directivo Central para la Seguridad y la Informatización de Internet, a cargo de la ciberseguridad y la política de Internet. En el Tercer Pleno celebrado en 2013 también se creó la Comisión de Seguridad Nacional del PCCh, otro órgano presidido por Xi, que según los comentaristas ayudaría a Xi a consolidarse sobre los asuntos de seguridad nacional. En opinión de al menos un politólogo, Xi "se ha rodeado de cuadros que conoció cuando estaba destinado en la costa, en Fujian y Shangai y en Zhejiang." El control de Pekín se considera crucial para los líderes chinos; Xi ha seleccionado a Cai Qi, uno de los cuadros mencionados, para gestionar la capital. También se cree que Xi ha diluido la autoridad del primer ministro Li Keqiang, asumiendo la autoridad sobre la economía, que generalmente se ha considerado del dominio del primer ministro. En 2022, Xi nombró a su estrecho aliado Wang Xiaohong como ministro de Seguridad Pública, lo que le dio un mayor control sobre el estamento de la seguridad.

En su sexta sesión plenaria de noviembre de 2021, el PCCh adoptó una resolución histórica, una especie de documento que evaluaba la historia del partido. Fue la tercera de este tipo, después de las adoptadas por Mao Zedong y Deng Xiaoping, y el documento acreditó por primera vez a Xi como el "principal innovador" del Pensamiento Xi Jinping, al tiempo que declaraba que el liderazgo de Xi era "la clave del gran rejuvenecimiento de la nación china". En comparación con las demás resoluciones históricas, la de Xi no supuso un cambio importante en la forma en que el PCCh evaluó su historia. Para acompañar la resolución histórica, el PCCh promovió los términos Dos Establecimientos y Dos Salvaguardas, llamando al PCCh a unirse en torno a Xi y a proteger su estatus central dentro del partido.

Culto a la personalidad

Desde su llegada al poder, Xi ha creado un culto a su personalidad, con libros, dibujos animados, canciones pop y rutinas de baile en honor a su mandato. Tras el ascenso de Xi al núcleo de liderazgo del PCCh, se le conocía como *Xi Dada* (习大大, tío o papá Xi), aunque esto dejó de hacerse en abril de 2016. El pueblo de Liangjiahe, donde Xi fue enviado a trabajar, se ha convertido en un "santuario moderno" decorado con propaganda del PCC y murales que ensalzan los años de formación de su vida.

El Politburó del PCCh nombró a Xi Jinping *lingxiu* (领袖), un término reverencial para "líder" y un título que antes solo se daba a Chiang Kai-shek, Mao Zedong y su sucesor inmediato Hua Guofeng. También se le llama a veces el "piloto del timón" (领航掌舵). El 25 de diciembre de 2019, el Politburó nombró oficialmente a Xi "líder del pueblo" (人民领袖; *rénmín lǐngxiù*), un título que solo había ostentado Mao anteriormente.

Eliminación de los límites de los mandatos

En marzo de 2018, la Asamblea Popular Nacional, controlada por el partido, aprobó una serie de enmiendas constitucionales que incluían la eliminación de los límites de los mandatos del presidente y el vicepresidente, la creación de una Comisión Nacional de Supervisión, así como el refuerzo del papel central del PCCh. El 17 de marzo de 2018, la legislatura china volvió a nombrar a Xi como presidente, ahora sin límites de mandato; Wang Qishan fue nombrado vicepresidente. Al día siguiente, Li Keqiang fue reelegido primer ministro y aliados de Xi desde hace tiempo, Xu Qiliang y Zhang Youxia, fueron votados como vicepresidentes de la CMC. El ministro de Asuntos Exteriores, Wang Yi, fue ascendido a consejero de Estado y el general Wei Fenghe fue nombrado ministro de Defensa.

Según el *Financial Times*, Xi expresó su opinión sobre la enmienda constitucional en reuniones con funcionarios chinos y dignatarios extranjeros. Xi explicó la decisión en términos de la necesidad de alinear dos puestos más poderosos -el secretario general del PCCh y el presidente de la CMC- que no tienen límite de mandato. Sin embargo, Xi no dijo si tenía la intención de ser secretario general del partido, presidente de la CMC y presidente del Estado, durante tres o más mandatos.

Economía y tecnología

En un principio, Xi era considerado un reformista del mercado, y el Tercer Pleno del XVIII Comité Central, bajo su mandato, anunció que las "fuerzas del mercado" empezarían a desempeñar un papel "decisivo" en la asignación de recursos. Esto significaba que el Estado reduciría gradualmente su participación en la distribución del capital y reestructuraría las empresas estatales para permitir una mayor competencia, atrayendo potencialmente a actores extranjeros y del sector privado en industrias que antes estaban muy reguladas. Esta política pretendía abordar el hinchado sector estatal que se había beneficiado indebidamente de una ronda anterior de reestructuración mediante la compra de activos a precios inferiores a los del mercado, activos que ya no se utilizaban de forma productiva. Sin embargo, en 2017, los expertos afirman que la promesa de reformas económicas de Xi se estancó. En 2015, la burbuja bursátil china estalló, lo que llevó a Xi a utilizar las fuerzas del Estado para solucionar el problema.

Xi ha incrementado el control estatal sobre la economía china, expresando su apoyo a las empresas estatales de China, al tiempo que apoya al sector privado del país. Ha aumentado el papel de la Comisión Central de Asuntos Financieros y Económicos en detrimento del Consejo de Estado. Su administración facilitó la emisión de hipotecas por parte de los bancos, incrementó la participación extranjera en el mercado de bonos y aumentó el papel global de la moneda del país, el renminbi, contribuyendo a su incorporación a la cesta de derechos especiales de giro del FMI. En el 40º aniversario del lanzamiento de las reformas económicas chinas en 2018, ha prometido continuar con las reformas pero ha advertido que nadie "puede dictar al pueblo chino". Xi también ha hecho personalmente de la erradicación de la pobreza extrema mediante el "alivio selectivo de la pobreza" un objetivo clave. En 2021, Xi declaró una "victoria completa" sobre la pobreza extrema, diciendo que casi 100 millones de personas han salido de la pobreza bajo su mandato, aunque algunos expertos dijeron que el umbral de pobreza de China era relativamente más bajo que el establecido por el Banco Mundial. En 2020, el primer ministro Li Keqiang, citando a la Oficina Nacional de Estadística (NBS), dijo que en China todavía había 600 millones de personas que vivían con menos de 1000 yuanes (140 dólares) al mes, aunque un artículo de *The Economist* decía que la metodología que utilizaba la NBS era errónea, afirmando que la cifra tomaba los ingresos combinados, que luego se dividían a partes iguales.

La economía china ha crecido bajo el mandato de Xi, y el PIB en términos nominales se ha duplicado con creces, pasando de 8,53 billones de dólares en 2012 a 17,73 billones en 2021, aunque el ritmo de crecimiento se ha ralentizado del 7,9% en 2012 al 6% en 2019. Xi ha subrayado la importancia del "crecimiento de alta calidad" en lugar del "crecimiento inflado". Xi ha puesto en circulación una política llamada "de doble circulación", que significa reorientar la economía hacia el consumo interno al tiempo que se mantiene abierta al comercio exterior y a la inversión. Xi también ha hecho del impulso de la productividad en la economía una prioridad. Xi ha intentado reformar el sector inmobiliario para combatir el fuerte aumento de los precios de la vivienda y reducir la dependencia de la economía china del sector inmobiliario. En el XIX Congreso Nacional del PCCh, Xi declaró: "Las casas se construyen para ser habitadas, no para la especulación". En 2020, el gobierno de Xi formuló la política de las "tres líneas rojas", cuyo objetivo era desapalancar el sector inmobiliario, fuertemente endeudado. Además, Xi ha apoyado un impuesto sobre la propiedad, por el que se ha enfrentado a la resistencia de los miembros del PCC.

La administración de Xi ha promovido el plan "Made in China 2025" que pretende que China sea autosuficiente en tecnologías clave, aunque públicamente China restó importancia a este plan debido al estallido de una guerra comercial con EE.UU. Desde el estallido de la guerra comercial en 2018, Xi ha reavivado los llamamientos a la "autosuficiencia", especialmente en materia de tecnología. El gobierno de Xi ha destinado adicionalmente más de 100.000 millones de dólares para apoyar los esfuerzos de China en la independencia de los semiconductores. El gobierno chino también ha apoyado a empresas tecnológicas como Huawei mediante subvenciones, exenciones fiscales, facilidades de crédito y otras formas de ayuda, lo que ha permitido su ascenso pero también ha provocado las contramedidas de Estados Unidos.

En noviembre de 2020, *The Wall Street Journal* informó de que Xi ordenó personalmente la paralización de la oferta pública inicial (OPI) de Ant Group, como reacción a las críticas de su fundador, Jack Ma, a la regulación gubernamental en materia de finanzas. Desde 2021, Xi ha promovido el término "prosperidad común", un término que definió como un "requisito esencial del socialismo". Describió la prosperidad común como afluencia para todos, en lugar de para unos pocos, aunque también dijo que no es igualitarismo. La prosperidad común se ha utilizado como justificación para tomar medidas enérgicas y reglamentarias a gran escala contra los supuestos "excesos" de varios sectores, entre los que destacan el tecnológico y el de la enseñanza. Los ejemplos de las medidas adoptadas contra las empresas tecnológicas han incluido la imposición de multas a grandes empresas tecnológicas y la aprobación de leyes como la Ley de Seguridad de Datos. China también prohibió a las empresas privadas de clases particulares que obtuvieran beneficios y que enseñaran el programa escolar durante los fines de semana y las vacaciones, destruyendo así todo el sector. Además, Xi abrió una nueva bolsa de valores en Pekín dirigida a las pequeñas y medianas empresas (PYMES), lo que constituyó otra parte de su campaña de prosperidad común. También ha habido otras numerosas regulaciones culturales, como la limitación del uso de videojuegos por parte de los menores a 90 minutos durante los días laborables y a 3 horas durante los fines de semana, la prohibición total de las criptomonedas, la represión del culto a los ídolos, el fandom y la cultura de las celebridades y la represión de los "hombres afeminados".

Reformas

Anuncio del orden del día

En noviembre de 2013, al concluir el Tercer Pleno del 18º Comité Central, el Partido Comunista presentó un programa de reformas de gran alcance que aludía a cambios en la política económica y social. Xi señaló en el pleno que estaba consolidando el control de la enorme organización de seguridad interna que antes era dominio de Zhou Yongkang. Se formó una nueva Comisión de Seguridad Nacional con Xi al frente. También se formó el Grupo Directivo Central para la Profundización Integral de las Reformas -otro órgano *ad hoc* de coordinación de políticas dirigido por Xi elevado a la categoría de comisión en 2018- para supervisar la implementación de la agenda de reformas. Denominadas "reformas de profundización integral" (全面深化改革; *quánmiàn shēnhuà gǎigé), se* dijo que eran las más significativas desde la Gira del Sur de Deng Xiaoping en 1992. El pleno también anunció reformas económicas y resolvió abolir el sistema *laogai* de "reeducación por el trabajo", considerado en gran medida como una mancha en el historial de derechos humanos de China. El sistema ha sido objeto de importantes críticas durante años por parte de críticos nacionales y observadores extranjeros. En enero de 2016, la política de dos hijos sustituyó a la de uno, que a su vez fue reemplazada por la de tres en mayo de 2021. En julio de 2021 se eliminaron todos los límites de tamaño de las familias, así como las sanciones por superarlos.

Reformas legales

El partido bajo el mando de Xi anunció una serie de reformas legales en el Cuarto Pleno, celebrado en otoño de 2014, e hizo un llamamiento al "Estado de Derecho socialista chino" inmediatamente después. El partido pretendía reformar el sistema jurídico, que se percibía como ineficaz a la hora de impartir justicia y afectado por la corrupción, la interferencia de los gobiernos locales y la falta de supervisión constitucional. El pleno, al tiempo que subrayaba el liderazgo absoluto del partido, también pedía un mayor papel de la Constitución en los asuntos del Estado y un fortalecimiento del papel del Comité Permanente de la Asamblea Popular Nacional en la interpretación de la Constitución. También pedía una mayor transparencia en los procedimientos judiciales, una mayor participación de los ciudadanos de a pie en el proceso legislativo y una "profesionalización" general del personal jurídico. El partido también planeaba instituir tribunales jurídicos de circuito interjurisdiccionales, así como dar a las provincias una supervisión administrativa consolidada sobre los recursos jurídicos de nivel inferior, lo que pretende reducir la participación de los gobiernos locales en los procedimientos judiciales.

Reformas militares

Desde su llegada al poder en 2012, Xi ha emprendido una revisión del Ejército Popular de Liberación. La fusión militar-civil ha avanzado bajo Xi. Xi ha participado activamente en los asuntos militares, adoptando un enfoque directo en la reforma militar. Además de ser el presidente de la CMC y líder del Grupo Central de Liderazgo para la Reforma Militar, fundado en 2014 para supervisar las reformas militares integrales, Xi ha hecho numerosos pronunciamientos de alto perfil prometiendo limpiar la mala conducta y la complacencia en el ejército. Xi ha advertido repetidamente que la despolitización del EPL del PCC llevaría a un colapso similar al de la Unión Soviética. Xi celebró la Nueva Conferencia de Gutian en 2014, reuniendo a los principales oficiales militares de China, volviendo a enfatizar el principio de "el partido tiene el control absoluto sobre el ejército" establecido por primera vez por Mao en la Conferencia de Gutian de 1929.

Xi anunció una reducción de 300.000 efectivos del EPL en 2015, con lo que su tamaño pasó a ser de 2 millones de soldados. Xi lo describió como un gesto de paz, mientras que analistas como Rory Medcalf han dicho que el recorte se hizo para reducir los costes, así como parte de la modernización del EPL. En 2016, redujo el número de comandos de teatro del EPL de siete a cinco. También suprimió los cuatro departamentos generales autónomos del EPL, sustituyéndolos por 15 organismos que dependen directamente de la CMC. Bajo sus reformas se crearon dos nuevas ramas del EPL, la Fuerza de Apoyo Estratégico y la Fuerza de Apoyo Logístico Conjunto.

El 21 de abril de 2016, Xi fue nombrado comandante en jefe del nuevo Centro de Mando de Operaciones Conjuntas del EPL del país por la Agencia de Noticias Xinhua y la emisora China Central Television. Algunos analistas interpretaron esta medida como un intento de mostrar fuerza y un fuerte liderazgo y como algo más "político que militar". Según Ni Lexiong, experto en asuntos militares, Xi "no sólo controla a los militares sino que lo hace de forma absoluta, y que en tiempos de guerra está dispuesto a mandar personalmente". Según un experto en asuntos militares chinos de la Universidad de California en San Diego, Xi "ha sido capaz de tomar el control político de los militares hasta un punto que supera lo hecho por Mao y Deng".

Política exterior

Xi ha adoptado una línea más dura en cuestiones de seguridad y asuntos exteriores, proyectando una China más nacionalista y asertiva en la escena mundial. Su programa político aboga por una China más unida y segura de su propio sistema de valores y estructura política. Analistas y observadores extranjeros han afirmado con frecuencia que el principal objetivo de la política exterior de Xi es restaurar la posición de China en la escena mundial como gran potencia.

En su intervención en una conferencia regional en Shanghái el 21 de mayo de 2014, pidió a los países asiáticos que se unieran y forjaran un camino juntos, en lugar de involucrarse con terceras potencias, lo que se considera una referencia a Estados Unidos. "Los asuntos de Asia deben ser resueltos en última instancia por los asiáticos. Los problemas de Asia deben ser resueltos en última instancia por los asiáticos y la seguridad de Asia debe ser protegida en última instancia por los asiáticos", dijo en la conferencia.

Xi ha promovido la "diplomacia de los grandes países" (大国外交), afirmando que China ya es una "gran potencia" y rompiendo con los anteriores líderes chinos que tenían una diplomacia más precavida. Ha adoptado una postura de política exterior de halcón llamada "diplomacia del guerrero lobo", mientras que sus pensamientos de política exterior se conocen colectivamente como "Pensamiento de Xi Jinping sobre la diplomacia". En marzo de 2021, afirmó que "Oriente se está levantando y Occidente está declinando" (东升西降), diciendo que el poder del mundo occidental estaba en declive y su respuesta COVID-19 era un ejemplo de ello, y que China estaba entrando en un período de oportunidad debido a esto. En 2022, Xi propuso una "iniciativa de seguridad global" (全球安全倡议) que defendía el término "seguridad indivisible", término que también apoyaba Rusia. Xi ha aludido con frecuencia a la "comunidad con un futuro compartido para la humanidad", que según los diplomáticos chinos no implica una intención de cambiar el orden internacional, pero que según los observadores extranjeros China quiere un nuevo orden que la sitúe más en el centro. Bajo el mandato de Xi, China, junto con Rusia, también se ha centrado en aumentar las relaciones con el Sur Global para amortiguar el efecto de las sanciones occidentales.

Xi ha hecho hincapié en aumentar el "poder discursivo internacional" de China (国际话语权) para crear una opinión global más favorable de China en el mundo. En este empeño, Xi ha hecho hincapié en la necesidad de "contar bien la historia de China" (讲好中国故事), lo que significa ampliar la propaganda exterior（外宣）y las comunicaciones de China. Xi ha ampliado el enfoque y el alcance del Frente Unido, cuyo objetivo es consolidar el apoyo al PCCh en elementos ajenos a él, tanto dentro como fuera de China, y ha ampliado en consecuencia el Departamento de Trabajo del Frente Unido.

África

Bajo el mandato de Xi, China ha reducido los préstamos a África tras el temor de que los países africanos no pudieran pagar sus deudas a China. Xi también ha prometido que China condonaría las deudas de algunos países africanos. En noviembre de 2021, Xi prometió a las naciones africanas mil millones de dosis de vacunas chinas COVID-19, que se sumaban a los 200 millones ya suministrados anteriormente. Se ha dicho que esto forma parte de la diplomacia de vacunas de China.

Unión Europea

Los esfuerzos de China bajo el mandato de Xi han sido para que la Unión Europea (UE) se mantenga en una posición neutral en su contienda con EE.UU. China y la UE anunciaron el Acuerdo Global de Inversión (CAI) en 2020, aunque el acuerdo se congeló posteriormente debido a las sanciones mutuas sobre Xinjiang. Xi ha apoyado los llamamientos para que la UE logre una "autonomía estratégica", y también ha pedido a la UE que vea a China "con independencia".

India

Las relaciones entre China e India tuvieron altibajos bajo el mandato de Xi, deteriorándose posteriormente debido a diversos factores. En 2013, los dos países tuvieron un enfrentamiento en Depsang durante tres semanas, que terminó sin cambio de frontera. En 2017, los dos países volvieron a tener un enfrentamiento por la construcción china de una carretera en Doklam, un territorio reclamado tanto por Bután, aliado de India, como por China, aunque el 28 de agosto ambos países se desentendieron mutuamente. La crisis más grave en la relación se produjo cuando los dos países tuvieron un enfrentamiento mortal en 2020 en la Línea de Control Real, dejando algunos soldados muertos. Los enfrentamientos provocaron un grave deterioro de las relaciones, y China se apoderó de una pequeña porción de territorio que controlaba India.

Japón

Las relaciones entre China y Japón se han agriado inicialmente bajo la administración de Xi; el asunto más espinoso entre ambos países sigue siendo la disputa por las islas Senkaku, que China llama Diaoyu. En respuesta a la continua postura enérgica de Japón sobre la cuestión, China declaró una Zona de Identificación de Defensa Aérea en noviembre de 2013. Sin embargo, las relaciones empezaron a mejorar posteriormente, y Xi fue invitado a visitar el país en 2020, aunque el viaje se retrasó más tarde debido a la pandemia del COVID-19. En agosto de 2022, Kyodo News informó de que Xi decidió personalmente dejar que los misiles balísticos aterrizaran dentro de la zona económica exclusiva (ZEE) de Japón durante los ejercicios militares celebrados en torno a Taiwán, para enviar una advertencia a Japón.

Oriente Medio

Mientras que China ha sido históricamente recelosa de acercarse a los países de Oriente Medio, Xi ha cambiado este enfoque. Bajo el mandato de Xi, China se ha acercado tanto a Irán como a Arabia Saudí. Durante una visita a Irán en 2016, Xi propuso un amplio programa de cooperación con Irán, un acuerdo que se firmó posteriormente en 2021. China también ha vendido misiles balísticos a Arabia Saudí y está ayudando a construir 7.000 escuelas en Irak. En 2013, Xi propuso un acuerdo de paz entre Israel y Palestina que implica una solución de dos estados basada en las fronteras de 1967. Turquía, con la que las relaciones fueron tensas durante mucho tiempo a causa de los uigures, también se ha acercado a China.

Corea del Norte

Bajo el mandato de Xi, China ha adoptado inicialmente una postura más crítica con Corea del Norte debido a sus ensayos nucleares. Sin embargo, a partir de 2018, las relaciones comenzaron a mejorar debido a las reuniones entre Xi y el líder norcoreano Kim Jong-un. Xi también ha apoyado la desnuclearización de Corea del Norte y ha manifestado su apoyo a las reformas económicas en el país. En la reunión del G20 en Japón, Xi pidió una "flexibilización oportuna" de las sanciones impuestas a Corea del Norte.

Rusia

Xi ha cultivado unas relaciones más sólidas con Rusia, sobre todo a raíz de la crisis de Ucrania de 2014. Parece haber desarrollado una fuerte relación personal con el presidente Vladimir Putin. Ambos son vistos como líderes fuertes de orientación nacionalista que no temen imponerse a los intereses occidentales. Xi asistió a las ceremonias de apertura de los Juegos Olímpicos de Invierno de 2014 en Sochi. Bajo el mandato de Xi, China firmó un acuerdo de gas de 400.000 millones de dólares con Rusia; China también se ha convertido en el mayor socio comercial de Rusia.

Xi y Putin se reunieron el 4 de febrero de 2022 durante la preparación de los Juegos Olímpicos de Pekín de 2022, en el marco de la masiva acumulación de fuerzas de Rusia en la frontera ucraniana, y ambos expresaron que los dos países están casi unidos en su alineamiento antiestadounidense y que ambas naciones no compartían "ningún límite" en sus compromisos. Funcionarios estadounidenses afirmaron que China había pedido a Rusia que esperara para invadir Ucrania hasta que terminaran los Juegos Olímpicos de Pekín, el 20 de febrero. En abril de 2022, Xi Jinping expresó su oposición a las sanciones contra Rusia. El 15 de junio de 2022, Xi Jinping reafirmó el apoyo de China a Rusia en cuestiones de soberanía y seguridad. Sin embargo, Xi también dijo que China se compromete a respetar "la integridad territorial de todos los países", y afirmó que a China le "duele ver cómo se reavivan las llamas de la guerra en Europa". Además, China se ha mantenido al margen de las acciones de Rusia, situándose como parte neutral.

Corea del Sur

Xi ha mejorado inicialmente las relaciones con Corea del Sur. A partir de 2017, la relación de China con Corea del Sur se agrió a causa de la compra del sistema de defensa antimisiles THAAD (Terminal High Altitude Area Defence), que China considera una amenaza pero que Corea del Sur afirma que es una medida de defensa contra Corea del Norte. Finalmente, Corea del Sur detuvo la compra del THAAD después de que China le impusiera sanciones no oficiales. Las relaciones de China con Corea del Sur volvieron a mejorar con el presidente Moon Jae-in.

Sudeste de Asia

Desde que Xi llegó al poder, China ha estado construyendo y militarizando rápidamente islas en el Mar de China Meridional, una decisión que, según el *Study Times* de la Escuela Central del Partido, fue tomada personalmente por Xi. En abril de 2015, nuevas imágenes satelitales revelaron que China estaba construyendo rápidamente un aeródromo en el arrecife Fiery Cross, en las islas Spratly del Mar de China Meridional. En mayo de 2015, el secretario de Defensa de Estados Unidos, Ash Carter, advirtió al gobierno de Xi que detuviera su rápida construcción de islas en el territorio en disputa del Mar de China Meridional. En noviembre de 2014, en un importante discurso político, Xi pidió que se disminuyera el uso de la fuerza, prefiriendo el diálogo y las consultas para resolver los problemas actuales que plagan la relación entre China y sus vecinos del sudeste asiático.

Estados Unidos

Xi ha calificado las relaciones entre China y Estados Unidos en el mundo contemporáneo como un "nuevo tipo de relaciones de gran potencia", una frase que la administración Obama se había resistido a aceptar. Bajo su administración ha continuado el Diálogo Estratégico y Económico que se inició con Hu Jintao. En cuanto a las relaciones entre China y Estados Unidos, Xi dijo: "Si [China y Estados Unidos] se enfrentan, seguramente será un desastre para ambos países". Estados Unidos ha criticado las acciones chinas en el Mar de China Meridional. En 2014, piratas informáticos chinos pusieron en peligro el sistema informático de la Oficina de Gestión de Personal de Estados Unidos, lo que provocó el robo de aproximadamente 22 millones de registros de personal gestionados por la oficina.

Xi también se ha pronunciado indirectamente de forma crítica sobre el "pivote estratégico" de Estados Unidos hacia Asia. Las relaciones con Estados Unidos se agravaron tras la llegada de Donald Trump a la presidencia en 2017. Desde 2018, Estados Unidos y China se han enzarzado en una guerra comercial cada vez más intensa. En 2020, las relaciones se deterioraron aún más debido a la pandemia de COVID-19. En 2021, Xi ha calificado a Estados Unidos como la mayor amenaza para el desarrollo de China, diciendo que "la mayor fuente de caos en el mundo actual es Estados Unidos". Xi también ha desechado una política anterior en la que China no desafiaba a Estados Unidos en la mayoría de los casos, mientras que los funcionarios chinos dijeron que ahora ven a China como un "igual" a Estados Unidos.

Viajes al extranjero como líder supremo

Xi realizó su primer viaje al extranjero como líder supremo de China a Rusia el 22 de marzo de 2013, aproximadamente una semana después de asumir la presidencia. Se reunió con el presidente Vladimir Putin y los dos líderes hablaron de cuestiones comerciales y energéticas. A continuación, viajó a Tanzania, Sudáfrica (donde asistió a la cumbre de los BRICS en Durban) y la República del Congo. Xi visitó Estados Unidos en la finca Sunnylands, en California, en una "cumbre a mangas de camisa" con el presidente estadounidense Barack Obama en junio de 2013, aunque no se consideró una visita de Estado formal. En octubre de 2013, Xi asistió a la Cumbre de la APEC en Bali (Indonesia).

En marzo de 2014, Xi realizó un viaje a Europa Occidental, visitando los Países Bajos, donde asistió a la Cumbre de Seguridad Nuclear de La Haya, seguido de visitas a Francia, Alemania y Bélgica. El 4 de julio de 2014 realizó una visita de Estado a Corea del Sur y se reunió con la presidenta surcoreana Park Geun-hye. Entre el 14 y el 23 de julio, Xi asistió a la cumbre de líderes de los BRICS en Brasil y visitó Argentina, Venezuela y Cuba.

Xi realizó una visita oficial de Estado a la India y se reunió con el primer ministro indio, Narendra Modi, en septiembre de 2014; visitó Nueva Delhi y también fue a la ciudad natal de Modi, en el estado de Gujarat. Realizó una visita de Estado a Australia y se reunió con el primer ministro Tony Abbott en noviembre de 2014, seguida de una visita a la nación insular de Fiyi. Xi visitó Pakistán en abril de 2015 y firmó una serie de acuerdos de infraestructuras por valor de 45.000 millones de dólares relacionados con el Corredor Económico China-Pakistán. Durante su visita, se le concedió el máximo galardón civil de Pakistán, el Nishan-e-Pakistan. A continuación se dirigió a Yakarta y Bandung (Indonesia) para asistir a la Cumbre de Líderes Afroasiáticos y a los actos del 60º aniversario de la Conferencia de Bandung. Xi visitó Rusia y fue el invitado de honor del presidente ruso Vladimir Putin en el desfile del Día de la Victoria de Moscú de 2015, con motivo del 70º aniversario de la victoria de los aliados en Europa. En el desfile, Xi y su esposa Peng Liyuan se sentaron junto a Putin. En el mismo viaje, Xi también visitó Kazajistán y se reunió con el presidente de ese país, Nursultan Nazarbayev, y también se reunió con Alexander Lukashenko en Bielorrusia.

En septiembre de 2015, Xi realizó su primera visita de Estado a Estados Unidos. En octubre de 2015, realizó una visita de Estado al Reino Unido, la primera de un líder chino en una década. Esto siguió a una visita a China en marzo de 2015 del duque de Cambridge. Durante la visita de Estado, Xi se reunió con la reina Isabel II, el primer ministro británico David Cameron y otros dignatarios. Se habló de aumentar las colaboraciones aduaneras, comerciales y de investigación entre China y el Reino Unido, pero también se celebraron actos más informales, como una visita a la academia de fútbol del Manchester City.

En marzo de 2016, Xi visitó la República Checa de camino a Estados Unidos. En Praga, se reunió con el presidente checo, el primer ministro y otros representantes para promover las relaciones y la cooperación económica entre la República Checa y la RPC. Su visita fue recibida con un considerable número de protestas por parte de los checos.

En enero de 2017, Xi se convirtió en el primer líder supremo chino que planeaba asistir al Foro Económico Mundial de Davos. El 17 de enero, Xi se dirigió al foro en un discurso de alto nivel, en el que abordó la globalización, la agenda comercial mundial y el creciente lugar de China en la economía mundial y la gobernanza internacional; hizo una serie de promesas sobre la defensa de China de la "globalización económica" y los acuerdos sobre el cambio climático. El primer ministro Li Keqiang asistió al foro en 2015 y el vicepresidente Li Yuanchao lo hizo en 2016. Durante la visita de Estado de tres días al país en 2017, Xi también visitó la Organización Mundial de la Salud, las Naciones Unidas y el Comité Olímpico Internacional.

El 20 de junio de 2019, Xi visitó Pyongyang, convirtiéndose en el primer líder chino que visita Corea del Norte desde la visita de su predecesor Hu Jintao en 2004. El 27 de junio, asistió a la cumbre del G20 en Osaka. El 17 de enero de 2020, Xi visitó Myanmar, reuniéndose con el presidente Win Myint, la consejera de Estado Aung San Suu Kyi y el líder militar Min Aung Hlaing en Naypyidaw.

Entre 2020 y 2022, Xi hizo una pausa en sus viajes al extranjero, que se especula que se debe a la pandemia de COVID-19. El 14 de febrero de 2022, Xi visitó Astana (Kazajistán), su primer viaje al extranjero desde el inicio de la pandemia, y se reunió con el presidente Kassym-Jomart

Tokayev. Un día después, visitó Uzbekistán para asistir a la cumbre de la Organización de Cooperación de Shanghai de 2022. Allí se reunió con los líderes de Asia Central, así como con el presidente ruso Vladimir Putin, el primero desde que Rusia invadió Ucrania el 24 de febrero de 2022.

Iniciativa del Cinturón y la Ruta

La Iniciativa de la Franja y la Ruta (BRI) fue presentada por Xi en septiembre y octubre de 2013 durante sus visitas a Kazajistán e Indonesia, y posteriormente fue promovida por el primer ministro Li Keqiang durante sus visitas de Estado a Asia y Europa. Xi hizo el anuncio de la iniciativa durante su estancia en Astana (Kazajistán) y la calificó de "oportunidad de oro". La BRI ha sido calificada como el "proyecto insignia" de Xi, que incluye numerosos proyectos de desarrollo de infraestructuras e inversiones en Asia, Europa, África y América. La BRI se añadió a la Constitución del PCCh en la sesión de clausura del 19º Congreso del Partido, el 24 de octubre de 2017, elevando aún más su importancia. Desde el lanzamiento de la BRI, China se convirtió en el mayor prestamista del mundo, prestando alrededor de 1 billón de dólares en una década a casi 150 países. Sin embargo, en 2022, muchos proyectos de la BRI se han estancado, y la mayor parte de la deuda de China pasó a estar en manos de países con problemas financieros, lo que llevó a los líderes chinos a adoptar un enfoque más conservador de la BRI, apodada como "Iniciativa de la Franja y la Ruta 2.0".

Seguridad nacional

Xi ha dedicado una gran cantidad de trabajo a la seguridad nacional, pidiendo una "arquitectura de seguridad nacional holística" que abarque "todos los aspectos del trabajo del partido y del país". Durante una charla privada con el presidente estadounidense Obama y el vicepresidente Biden, dijo que China había sido objeto de "revoluciones de colores", lo que presagiaba su atención a la seguridad nacional. Desde su creación por Xi, la Comisión de Seguridad Nacional ha establecido comités de seguridad locales, centrados en la disidencia. En nombre de la seguridad nacional, el gobierno de Xi ha aprobado numerosas leyes, entre ellas una ley de contraespionaje en 2014, una ley de seguridad nacional y una ley antiterrorista en 2015, una ley de ciberseguridad y una ley de restricción de las ONG extranjeras en 2016, una ley de inteligencia nacional en 2017 y una ley de seguridad de datos en 2021. Bajo el mandato de Xi, la red de vigilancia masiva de China ha crecido de forma espectacular, con la creación de perfiles completos para cada ciudadano.

Derechos humanos

Según Human Rights Watch, Xi ha "iniciado una amplia y sostenida ofensiva contra los derechos humanos" desde que asumió el liderazgo en 2012. El HRW también dijo que la represión en China está "en su peor nivel desde la masacre de la Plaza de Tiananmen". Desde que asumió el poder, Xi ha reprimido el activismo de base, con cientos de detenidos. Presidió la represión 709 del 9 de julio de 2015, que supuso la detención de más de 200 abogados, asistentes jurídicos y activistas de derechos humanos. Su mandato ha supuesto la detención y el encarcelamiento de activistas como Xu Zhiyong, así como de muchos otros que se identificaron con el Nuevo Movimiento Ciudadano. El destacado activista jurídico Pu Zhiqiang, del movimiento Weiquan, también fue detenido y encarcelado.

En 2017, el gobierno local de la provincia de Jiangxi dijo a los cristianos que sustituyeran sus imágenes de Jesús por las de Xi Jinping como parte de una campaña general sobre las iglesias no oficiales del país. Según los medios sociales locales, los funcionarios "los transformaron de creer en la religión a creer en el partido". Según los activistas, "Xi está llevando a cabo la más severa supresión sistemática del cristianismo en el país desde que la libertad religiosa se incluyó en la constitución china en 1982", y según los pastores y un grupo que supervisa la religión en China, ha implicado "la destrucción de cruces, la quema de biblias, el cierre de iglesias y la orden de que los seguidores firmen papeles renunciando a su fe".

Tras varios atentados terroristas en Xinjiang en 2013 y 2014, Xi puso en marcha la campaña "Strike Hard" contra el terrorismo violento en 2014, que supuso la detención masiva, y la vigilancia de los uigures étnicos de la zona. Xi realizó una gira de inspección en Xinjiang entre el 27 y el 30 de abril de 2014. Desde 2020, China mantiene a 1,8 millones de personas, en su mayoría uigures pero también otras minorías étnicas y religiosas, en campos de internamiento en Xinjiang. Diversos grupos de derechos humanos y antiguos reclusos han descrito los campos como "campos de concentración", donde los uigures y otras minorías han sido asimilados por la fuerza a la sociedad china de mayoría étnica han. Documentos internos del gobierno chino filtrados a la prensa en noviembre de 2019 mostraron que Xi ordenó personalmente una ofensiva de seguridad en Xinjiang, diciendo que el partido no debe mostrar "absolutamente ninguna piedad" y que los funcionarios utilizan todas las "armas de la dictadura democrática del pueblo" para reprimir a los "infectados con el virus del extremismo". Los documentos también mostraban que Xi hablaba repetidamente del extremismo islámico en sus discursos, comparándolo con un "virus" o una "droga" que sólo podía abordarse mediante "un período de tratamiento doloroso e intervencionista". Sin embargo, también advirtió contra la discriminación de los uigures y rechazó las propuestas de erradicar el islam en China, calificando ese tipo de punto de vista de "sesgado, incluso equivocado". Además, no se ha informado públicamente del papel exacto de Xi en la construcción de los campos de internamiento, aunque se cree ampliamente que está detrás de ellos y sus palabras han sido la fuente de importantes justificaciones en la represión de Xinjiang. En los Archivos de la Policía de Xinjiang filtrados en 2022, un documento en el que se citaba al ministro de Seguridad Pública, Zhao Kezhi, sugería que Xi había estado al tanto de los campos de internamiento.

Pandemia de COVID-19

El 20 de enero de 2020, Xi comentó por primera vez la incipiente pandemia de COVID-19 en Wuhan, diciendo que ordenaba "esfuerzos para frenar la propagación" del virus. Dio al primer ministro Li Keqiang cierta responsabilidad sobre la respuesta al COVID-19, en lo que ha sido sugerido por *The Wall Street Journal* como un intento de aislarse potencialmente de las críticas si la respuesta fallaba. El gobierno respondió inicialmente a la pandemia con un bloqueo y una censura, y la respuesta inicial provocó una reacción generalizada dentro de China. El 28 de enero se reunió con Tedros Adhanom Ghebreyesus, director general de la Organización Mundial de la Salud (OMS). *Der Spiegel* informó de que en enero de 2020 Xi presionó a Tedros Adhanom para que no emitiera una alerta mundial sobre el brote de COVID-19 y retuviera información sobre la transmisión del virus de persona a persona, acusaciones negadas por la OMS.

El 5 de febrero, Xi se reunió con el primer ministro camboyano Hun Sen en Pekín, el primer líder extranjero al que se le permitió entrar en China desde el brote. Una vez que el brote de COVID-19 quedó controlado en Wuhan, Xi visitó la ciudad el 10 de marzo. Desde entonces, Xi ha favorecido lo que se ha denominado oficialmente "política dinámica de COVID-19", cuyo objetivo es controlar y suprimir el virus en la medida de lo posible dentro de las fronteras del país. Esto ha implicado cierres locales y pruebas masivas. Aunque en un principio se le atribuyó a China la supresión del brote de COVID-19, esta política fue criticada posteriormente por observadores extranjeros y algunos nacionales por no estar en contacto con el resto del mundo y por suponer un alto coste para la economía. Este enfoque ha sido especialmente criticado durante el cierre de Shanghái en 2022, que obligó a millones de personas a abandonar sus hogares y perjudicó a la economía de la ciudad, haciendo mella en la imagen de Li

Qiang, estrecho aliado de Xi y secretario del Partido en la ciudad. Por el contrario, Xi ha dicho que la política fue diseñada para proteger la seguridad de la vida de las personas. El 23 de julio de 2022, la Comisión Nacional de Salud informó de que Xi y otros altos dirigentes habían tomado las vacunas locales COVID-19.

Política medioambiental

En septiembre de 2020, Xi anunció que China "reforzará su objetivo climático para 2030 (NDC), alcanzará un pico de emisiones antes de 2030 y tratará de lograr la neutralidad del carbono antes de 2060". De lograrlo, se reduciría el aumento previsto de la temperatura global en 0,2-0,3 °C, "la mayor reducción jamás estimada por el Rastreador de Acción Climática". Xi mencionó la relación entre la pandemia del COVID-19 y la destrucción de la naturaleza como una de las razones de la decisión, diciendo que "la humanidad no puede permitirse seguir ignorando las repetidas advertencias de la naturaleza". El 27 de septiembre, los científicos chinos presentaron un plan detallado sobre cómo alcanzar el objetivo. En septiembre de 2021, Xi anunció que China no construiría "proyectos de energía de carbón en el extranjero, lo que se dijo que podría ser "fundamental" para reducir las emisiones. La Iniciativa de la Franja y la Ruta no incluía la financiación de tales proyectos ya en la primera mitad de 2021.

Xi Jinping no asistió personalmente a la COP26. Sin embargo, sí asistió una delegación china encabezada por el enviado para el cambio climático Xie Zhenhua. Durante la conferencia, Estados Unidos y China acordaron un marco para reducir las emisiones de gases de efecto invernadero cooperando en diferentes medidas.

Estilo de gobernanza

Conocido como un líder muy reservado, poco se sabe públicamente sobre cómo Xi toma las decisiones políticas o cómo llegó al poder. Los discursos de Xi suelen publicarse meses o años después de haber sido pronunciados. Xi tampoco ha dado nunca una rueda de prensa desde que se convirtió en líder supremo, salvo en raras conferencias de prensa conjuntas con líderes extranjeros. *The Wall Street Journal* informó de que Xi prefiere la microgestión en la gobernanza, en contraste con líderes anteriores como Hu Jintao, que dejaba los detalles de las principales políticas a los funcionarios de menor rango. Al parecer, los funcionarios ministeriales tratan de captar la atención de Xi de diversas maneras, y algunos crean presentaciones de diapositivas e informes de audio. *The Wall Street Journal* también informó que Xi creó un sistema de revisión del desempeño en 2018 para evaluar a los funcionarios en varias medidas, incluida la lealtad. Según *The Economist*, las órdenes de Xi han sido generalmente vagas, dejando que los funcionarios de menor nivel interpreten sus palabras. El medio de comunicación estatal chino Xinhua News Agency dijo que Xi "revisa personalmente cada borrador de los principales documentos políticos" y "todos los informes que se le presentan, sin importar lo tarde que sea, se devuelven con instrucciones a la mañana siguiente". Xi pidió a los funcionarios que practiquen la autocrítica, lo que, según los observadores, es para parecer menos corruptos y más populares entre el pueblo.

Posiciones políticas

Sueño chino

Xi y los ideólogos del PCCh acuñaron la frase "sueño chino" para describir sus planes globales para China como líder. Xi utilizó la frase por primera vez durante una visita de alto nivel al Museo Nacional de China el 29 de noviembre de 2012, donde él y sus colegas del Comité Permanente asistían a una exposición sobre el "renacimiento nacional". Desde entonces, la frase se ha convertido en el lema político característico de la era Xi. El origen del término "sueño chino" no está claro. Aunque la frase ha sido utilizada anteriormente por periodistas y académicos, algunas publicaciones han planteado que el término probablemente se inspiró en el concepto del sueño americano. *The Economist* señaló que la naturaleza abstracta y aparentemente accesible del concepto, sin estipulaciones políticas globales específicas, puede ser un alejamiento deliberado de las ideologías cargadas de jerga de sus predecesores. Xi ha vinculado el "sueño chino" con la frase "gran rejuvenecimiento de la nación china".

Renacimiento cultural

En los últimos años, altos dirigentes políticos del PCCh como Xi han supervisado la rehabilitación de antiguas figuras filosóficas chinas como Han Fei en la corriente principal del pensamiento chino junto al confucianismo. En una reunión con otros funcionarios en 2013, citó a Confucio, diciendo que "quien gobierna por la virtud es como la estrella polar, mantiene su lugar, y la multitud de estrellas le rinden homenaje." Mientras visitaba Shandong, el lugar de nacimiento de Confucio, en noviembre, dijo a los académicos que el mundo occidental estaba "sufriendo una crisis de confianza" y que el PCCh ha sido "el heredero leal y el promotor de la destacada cultura tradicional de China."

Según varios analistas, el liderazgo de Xi se ha caracterizado por un resurgimiento de la antigua filosofía política del legalismo. Han Fei cobró nueva importancia con citas favorables; una frase de Han Fei que Xi citó apareció miles de veces en los medios oficiales chinos a nivel local, provincial y nacional. Además, Xi ha apoyado al filósofo neoconfuciano Wang Yangming, indicando a los líderes locales que lo promuevan.

Xi también ha supervisado un renacimiento de la cultura tradicional china, desmarcándose de la trayectoria del PCCh, que a menudo la había atacado. Ha calificado la cultura tradicional como el "alma" de la nación y la "base" de la cultura del PCCh. El hanfu, la vestimenta tradicional de los chinos han, ha experimentado un renacimiento bajo su mandato, asociado a la recuperación de la cultura tradicional.

Ideología

Xi ha dicho que "sólo el socialismo puede salvar a China". Xi también ha declarado que el socialismo con características chinas es el "único camino correcto para realizar el rejuvenecimiento nacional". Según BBC News, mientras que se percibía que el PCCh había abandonado su ideología comunista desde que inició las reformas económicas en la década de 1970, algunos observadores consideran que Xi cree más en la "idea de un proyecto comunista", siendo descrito como marxista-leninista por el ex primer ministro australiano Kevin Rudd. Suscribiendo la opinión de que el socialismo acabará triunfando sobre el capitalismo, ha afirmado que "el análisis de Marx y Engels sobre las contradicciones básicas de la sociedad capitalista no está anticuado, como tampoco lo está la visión materialista histórica de que el capitalismo está destinado a morir y el socialismo a ganar". Xi ha supervisado el aumento de la "Economía Política Socialista con Características Chinas" como tema de estudio principal para los académicos en China, con el objetivo de disminuir la influencia de la economía de influencia occidental. Aunque ha pedido que se ponga fin a lo que considera una "expansión desordenada del capital", también ha dicho que "es necesario estimular la vitalidad del capital de todo tipo, incluido el capital no público, y dar pleno juego a su papel positivo".

Xi ha apoyado un mayor control del PCCh sobre la RPC, diciendo que "el gobierno, el ejército, la sociedad y las escuelas, el norte, el sur, el este y el oeste: el partido los dirige a todos". Durante el centenario del PCCh en 2021, dijo que "sin el Partido Comunista de China, no habría una nueva China ni un rejuvenecimiento nacional", y que "el liderazgo del Partido es el rasgo definitorio del socialismo con características chinas y constituye la mayor fortaleza de este sistema". Ha afirmado que China, a pesar de los numerosos contratiempos, ha logrado grandes progresos bajo el PCCh, y ha dicho que "el socialismo con características chinas se ha convertido en el abanderado del desarrollo socialista del siglo XXI". Sin embargo, también ha advertido que China tardará mucho tiempo en completar su rejuvenecimiento bajo el PCCh, y que durante ese tiempo los miembros del partido deben estar atentos para no dejar que el gobierno del PCCh se derrumbe.

Xi ha descartado un sistema multipartidista para China, diciendo que "la monarquía constitucional, la restauración imperial, el parlamentarismo, un sistema multipartidista y un sistema presidencial, los hemos considerado, los hemos probado, pero ninguno ha funcionado". Sin embargo, Xi considera que China es una democracia, afirmando que "la democracia socialista de China es la más completa, genuina y efectiva". La definición de democracia de China es diferente a la de las democracias liberales y tiene sus raíces en el marxismo-leninismo, y se basa en las frases "dictadura democrática del pueblo" y "centralismo democrático". Xi ha acuñado además el término "democracia popular de todo el proceso" (全过程人民民主) que, según él, consiste en tener "al pueblo como dueño". Sin embargo, los analistas y observadores extranjeros han rebatido ampliamente que China sea una democracia, diciendo que es un Estado autoritario de partido único y que Xi es un líder autoritario. Algunas fuentes han calificado a Xi de dictador, citando la gran centralización de poder que le rodea, no vista en comparación con sus predecesores.

Documento número nueve

El documento n° 9, oficialmente el Comunicado sobre el Estado Actual de la Esfera Ideológica, es un documento interno confidencial que la Oficina General del partido hizo circular ampliamente dentro del PCCh en 2013. Fue publicado en julio de 2012. El documento advierte oficialmente de la promoción de siete valores occidentales peligrosos:

- Democracia constitucional occidental: un intento de socavar el liderazgo actual y el sistema de gobierno del socialismo con características chinas;
- "Valores universales" en un intento de debilitar los fundamentos teóricos de la dirección del Partido;
- La sociedad civil en un intento de desmantelar la base social del partido gobernante;
- El neoliberalismo, que intenta cambiar el sistema económico básico de China;
- La idea occidental del periodismo, desafiando el principio chino de que los medios de comunicación y el sistema editorial deben estar sujetos a la disciplina del Partido;

- Nihilismo histórico, tratando de socavar la historia del PCCh y de la Nueva China; y
- Cuestionar la Reforma y la Apertura y la naturaleza socialista del socialismo con características chinas.

Aunque es anterior al ascenso formal de Xi Jinping a los máximos cargos del partido y del Estado, la publicación de este documento interno, que ha introducido nuevos temas que antes no estaban "prohibidos", ha sido asociada estrechamente con Xi Jinping por *el New York Times*.

El pensamiento de Xi Jinping

En septiembre de 2017, el Comité Central del PCCh decidió que las filosofías políticas de Xi, generalmente denominadas "Pensamiento de Xi Jinping sobre el socialismo con características chinas para una nueva era", pasarían a formar parte de la Constitución del Partido. Xi mencionó por primera vez el "Pensamiento sobre el socialismo con características chinas para una nueva era" en su discurso de apertura pronunciado en el XIX Congreso del Partido en octubre de 2017. Sus colegas del Comité Permanente del Politburó, en sus propias revisiones del discurso de apertura de Xi en el Congreso, antepusieron el nombre "Xi Jinping" a "Pensamiento". El 24 de octubre de 2017, en su sesión de clausura, el XIX Congreso del Partido aprobó la incorporación del Pensamiento Xi Jinping a la Constitución del PCCh, mientras que en marzo de 2018, la Asamblea Popular Nacional cambió la Constitución del Estado para incluir el Pensamiento Xi Jinping.

El propio Xi ha descrito el Pensamiento como parte del amplio marco creado en torno al Socialismo con Características Chinas, un término acuñado por Deng Xiaoping que sitúa a China en la etapa primaria del socialismo. En la documentación oficial del partido y en las declaraciones de los colegas de Xi, se dice que el

Pensamiento es una continuación del marxismo-leninismo, del pensamiento de Mao Zedong, de la teoría de Deng Xiaoping, de los Tres Representantes y de la Perspectiva Científica del Desarrollo, como parte de una serie de ideologías rectoras que encarnan el "marxismo adoptado a las condiciones chinas" y las consideraciones contemporáneas. Además, ha sido descrito como el "marxismo del siglo XXI" por dos profesores de la Escuela del Partido Central del PCCh. Wang Huning, uno de los principales asesores políticos y estrecho aliado de Xi, ha sido descrito como fundamental para el desarrollo del Pensamiento Xi Jinping. Los conceptos y el contexto del Pensamiento Xi Jinping se elaboran en la serie de libros El *Gobierno de China* de Xi, publicados por Foreign Languages Press para un público internacional. El primer volumen se publicó en septiembre de 2014 y el segundo en noviembre de 2017.

Una aplicación para enseñar el Pensamiento Xi Jinping se ha convertido en la aplicación para smartphones más popular de China en 2019, ya que el PCCh, que gobierna el país, ha lanzado una nueva campaña que pide a sus cuadros que se sumerjan en la doctrina política cada día. *Xuexi Qiangguo* es ahora el elemento más descargado en la App Store nacional de Apple, superando en demanda a aplicaciones de redes sociales como WeChat y TikTok. En 2021, el gobierno incluyó el Pensamiento de Xi Jinping en el plan de estudios que se imparte a los estudiantes desde la escuela primaria hasta la universidad, lo que generó el rechazo de los padres. Durante gran parte de los 30 años anteriores, la ideología política y la doctrina comunista no eran una norma que se enseñaba en las escuelas chinas hasta la enseñanza media, y los libros de texto presentaban un conjunto más amplio de líderes chinos con menos énfasis en un único líder como Xi.

Hong Kong

Xi ha apoyado y perseguido una mayor integración económica de Hong Kong con la China continental mediante proyectos como el puente Hong Kong-Zhuhai-Macau. Ha impulsado el proyecto de la Gran Área de la Bahía, que pretende integrar Hong Kong, Macao y otras nueve ciudades de Guangdong. El impulso de Xi a una mayor integración ha hecho temer una disminución de las libertades en Hong Kong. Xi ha apoyado al Gobierno de Hong Kong y a la jefa del Ejecutivo, Carrie Lam, contra los manifestantes en las protestas de Hong Kong de 2019-20. Ha defendido el uso de la fuerza por parte de la policía de Hong Kong, diciendo que "Apoyamos con firmeza a la policía de Hong Kong para que tome medidas contundentes en la aplicación de la ley, y al poder judicial de Hong Kong para que castigue de acuerdo con la ley a aquellos que han cometido delitos violentos." Durante su visita a Macao el 20 de diciembre de 2019, en el marco del 20º aniversario de su regreso a China, Xi advirtió de la injerencia de fuerzas extranjeras en Hong Kong y Macao, al tiempo que insinuó que Macao podría ser un modelo a seguir por Hong Kong.

En 2020, el Comité Permanente de la Asamblea Popular Nacional (NPCSC) aprobó una ley de seguridad nacional en Hong Kong que ampliaba drásticamente la represión gubernamental sobre la oposición en la ciudad. Esto se consideró la culminación de un proyecto a largo plazo de Xi para integrar más estrechamente a Hong Kong con el continente. Xi visitó Hong Kong como presidente en 2017 y 2022, en el 20º y 25º aniversario de la entrega de Hong Kong, respectivamente. En su visita de 2022, juró el cargo de jefe ejecutivo a John Lee, un antiguo oficial de policía que contó con el apoyo del gobierno chino para ampliar el control sobre la ciudad. Durante su estancia en la ciudad, dijo que Hong Kong había pasado del "caos" a la "estabilidad". Desde que John Lee se convirtió en jefe del ejecutivo, los funcionarios del gobierno de Hong Kong, incluido el propio Lee, han dado muestras públicas de lealtad hacia Xi, algo similar a lo que ocurre en la China continental, pero que hasta ahora no se había oído en la ciudad.

Taiwán

En 2015, Xi se reunió con el presidente taiwanés Ma Yingjeou, lo que supuso la primera vez que los líderes políticos de ambos lados del estrecho de Taiwán se reunían desde el final de la Guerra Civil China en la China continental en 1950. Xi dijo que China y Taiwán son "una familia" que no puede separarse. Sin embargo, las relaciones comenzaron a deteriorarse después de que Tsai Ing-wen, del Partido Democrático Progresista (PDP), ganara las elecciones presidenciales en 2016.

En el 19º Congreso del Partido celebrado en 2017, Xi reafirmó seis de los nueve principios que se habían afirmado de forma continua desde el 16º Congreso del Partido en 2002, con la notable excepción de "Poner las esperanzas en el pueblo de Taiwán como fuerza para ayudar a lograr la unificación". Según la Brookings Institution, Xi utilizó un lenguaje más contundente sobre la posible independencia de Taiwán que sus predecesores con respecto a los anteriores gobiernos del DPP en Taiwán. Dijo que "nunca permitiremos que ninguna persona, ninguna organización o ningún partido político separe ninguna parte del territorio chino de China en ningún momento y de ninguna forma." En marzo de 2018, Xi dijo que Taiwán se enfrentaría al "castigo de la historia" por cualquier intento de separatismo.

En enero de 2019, Xi Jinping pidió a Taiwán que rechazara su independencia formal de China, diciendo: "No prometemos renunciar al uso de la fuerza y nos reservamos la opción de tomar todos los medios necesarios". Esas opciones, dijo, podrían utilizarse contra la "injerencia externa". Xi también dijo que "están dispuestos a crear un amplio espacio para la reunificación pacífica, pero no dejarán espacio para ninguna forma de actividades separatistas". La presidenta Tsai respondió al discurso diciendo que Taiwán no aceptaría un acuerdo de "un país, dos sistemas" con la China continental, al tiempo que subrayó la necesidad de que todas las negociaciones a través del estrecho sean de gobierno a gobierno.

En 2022, tras las maniobras militares chinas en torno a Taiwán, la RPC publicó un libro blanco titulado "La cuestión de Taiwán y la reunificación de China en la nueva era", que fue el primer libro blanco relativo a Taiwán desde el año 2000. El documento instaba a Taiwán a convertirse en una región administrativa especial de la RPC bajo la fórmula de "un país, dos sistemas", y afirmaba que "un pequeño número de países, entre los que destaca Estados Unidos" están "utilizando a Taiwán para contener a China". En particular, el nuevo libro blanco excluye una parte que anteriormente decía que la RPC no enviaría tropas ni funcionarios a Taiwán tras la unificación.

Vida personal

El primer matrimonio de Xi fue con Ke Lingling, hija de Ke Hua, embajador de China en el Reino Unido a principios de la década de 1980. Se divorciaron a los pocos años. Se dice que ambos se peleaban "casi todos los días", y tras el divorcio Ke se trasladó a Inglaterra. En 1987, Xi se casó con la destacada cantante folclórica china Peng Liyuan. Xi y Peng fueron presentados por amigos, como muchas parejas chinas en la década de 1980. Xi tenía fama de ser académica durante su noviazgo, preguntando por las técnicas de canto. Peng Liyuan, un nombre familiar en China, era más conocida por el público que Xi hasta su ascenso político. La pareja vivía con frecuencia separada, debido en gran parte a sus vidas profesionales separadas. Peng ha desempeñado un papel mucho más visible como "primera dama" de China en comparación con sus predecesores; por ejemplo, Peng recibió a la primera dama de Estados Unidos, Michelle Obama, en su visita de alto nivel a China en marzo de 2014.

Xi y Peng tienen una hija llamada Xi Mingze, que se graduó en la Universidad de Harvard en la primavera de 2015. Durante su estancia en Harvard, utilizó un seudónimo y estudió Psicología e Inglés. La familia de Xi tiene una casa en Jade Spring Hill, una zona ajardinada y residencial del noroeste de Pekín gestionada por la CMC.

En junio de 2012, *Bloomberg News* informó de que miembros de la familia ampliada de Xi tenían importantes intereses empresariales, aunque no había pruebas de que hubiera intervenido para ayudarles. El sitio web *de Bloom*berg fue bloqueado en China continental en respuesta al artículo. Desde que Xi se embarcó en una campaña anticorrupción, *The New York Times* informó de que miembros de su familia estaban vendiendo sus inversiones empresariales e inmobiliarias a partir de 2012.

En los Papeles de Panamá se ha nombrado a familiares de funcionarios chinos de alto rango, incluidos siete altos dirigentes actuales y anteriores del Politburó del PCCh, entre ellos Deng Jiagui, cuñado de Xi. Deng tenía dos empresas ficticias en las Islas Vírgenes Británicas mientras Xi era miembro del Comité Permanente del Politburó, pero estaban inactivas cuando Xi se convirtió en secretario general del PCCh en noviembre de 2012.

Personalidad

Peng describió a Xi como una persona trabajadora y con los pies en la tierra: "Cuando llega a casa, nunca he tenido la sensación de que haya un líder en la casa. A mis ojos, es simplemente mi marido". Quienes le conocen describieron a Xi en un artículo *del Washington Post* de 2011 como "pragmático, serio, cauto, trabajador, con los pies en la tierra y de perfil bajo". Se le describió como una buena mano para resolver problemas y "aparentemente desinteresado en los adornos de los altos cargos".

Imagen pública

Es difícil calibrar la opinión del público chino sobre Xi, ya que no existen encuestas independientes en China y las redes sociales están fuertemente censuradas. Sin embargo, se cree que es ampliamente popular en el país. Según una encuesta de 2014 copatrocinada por el Centro Ash para la Gobernanza Democrática y la Innovación de la Harvard Kennedy School, Xi ocupaba el puesto 9 de 10 en los índices de aprobación nacional. Una encuesta de YouGov publicada en julio de 2019 encontró que alrededor del 22% de las personas en China continental enumeran a Xi como la persona que más admiran, una pluralidad, aunque esta cifra fue inferior al 5% para los residentes de Hong Kong. En la primavera de 2019, el Pew Research Center hizo una encuesta sobre la confianza en Xi Jinping entre las medianas de seis países basados en Australia, India, Indonesia, Japón, Filipinas y Corea del Sur. La encuesta indicó que una mediana del 29% tiene confianza en que Xi Jinping hará lo correcto en relación con los asuntos mundiales, mientras que una mediana del 45% no tiene confianza. Estas cifras son ligeramente superiores a las del líder norcoreano Kim Jong-un (23% de confianza, 53% de desconfianza). Una encuesta realizada por Politico y Morning Consult en 2021 reveló que el 5% de los estadounidenses tiene una opinión favorable de Xi, el 38% desfavorable, el 17% no tiene opinión y el 40%, una pluralidad, nunca ha oído hablar de él.

En 2017, *The Economist* lo nombró la persona más poderosa del mundo. En 2018, *Forbes* lo clasificó como la persona más poderosa e influyente del mundo, sustituyendo al presidente ruso Vladimir Putin, que lo había sido durante cinco años consecutivos. En 2016 y 2021, Reporteros sin Fronteras, una organización internacional sin ánimo de lucro y no gubernamental con el objetivo declarado de salvaguardar el derecho a la libertad de información, incluyó a Xi entre la lista de depredadores de la libertad de prensa.

A diferencia de los anteriores líderes chinos, los medios de comunicación estatales chinos han dado una visión más amplia de la vida privada de Xi, aunque sigue estando estrictamente controlada. Según la Agencia de Noticias Xinhua, Xi nadaba un kilómetro y caminaba todos los días siempre que tenía tiempo, y se interesa por los escritores extranjeros, especialmente los rusos. Se sabe que le encantan películas y programas de televisión como *Salvar al soldado Ryan, Infiltrados, El Padrino* y *Juego de Tronos, y que* también elogia al cineasta independiente Jia Zhangke. Los medios de comunicación estatales chinos también lo presentan como una figura paternal y un hombre del pueblo, decidido a defender los intereses chinos.

*

Vea todos nuestros libros publicados aquí:
https://campsite.bio/unitedlibrary